静电消失之谜

[加拿大]阿兰·M.贝杰隆 / 著

[加拿大]桑帕尔 / 绘

余 轶 / 译

天津出版传媒集团

新蕾出版社

图书在版编目 (CIP) 数据

静电消失之谜 / (加) 阿兰·M.贝杰隆
(Alain M. Bergeron) 著；(加) 桑帕尔 (Sampar) 绘；
余轶译. -- 天津：新蕾出版社, 2023.11
（静电超人；4）
ISBN 978-7-5307-7615-5

Ⅰ.①静… Ⅱ.①阿… ②桑… ③余… Ⅲ.①儿童故事-图画故事-加拿大-现代 Ⅳ.①I711.85

中国国家版本馆 CIP 数据核字(2023)第 147911 号

Original French title: Capitaine Static – Le Maître des Zions
Author: Alain M. Bergeron
Illustrated by: Sampar
Copyright © 2010, Editions Québec Amérique inc.
Simplified Chinese translation copyright © 2023 by New Buds Publishing House (Tianjin) Limited Company arranged through Wubenshu Children's Books Agency.
ALL RIGHTS RESERVED
津图登字：02-2022-081

书　　名	静电消失之谜　JINGDIAN XIAOSHI ZHI MI
出版发行	天津出版传媒集团 新蕾出版社
	http://www.newbuds.com.cn
地　　址	天津市和平区西康路 35 号（300051）
出 版 人	马玉秀
电　　话	总编办 (022)23332422 发行部 (022)23332351　23332679
传　　真	(022)23332422
经　　销	全国新华书店
印　　刷	天津海顺印业包装有限公司
开　　本	889mm×1194mm　1/32
字　　数	40 千字
印　　张	2.25
版　　次	2023 年 11 月第 1 版　2023 年 11 月第 1 次印刷
定　　价	22.00 元

著作权所有，请勿擅用本书制作各类出版物，违者必究。
如发现印、装质量问题，影响阅读，请与本社发行部联系调换。
地址：天津市和平区西康路 35 号
电话：(022)23332677　邮编：300051

献给语言大师弗朗索瓦·格拉维尔。

静电⚡超人
绝密档案

名字：查理·西马

真实身份：一名普通的小学四年级男孩

装备

尼龙材质的钢蓝色超人服　　红色披风　　红色眼罩　　黄绿相间的羊毛拖鞋

超能力：静电攻击

粉丝团：电粉团

超能力秘密来源：拖着脚走路

温馨提示
！千万不要让静电超人碰衣物柔顺剂！！

警告

谁摩擦,谁起电!
　　——静电超人的格言

第1章

时刻准备营救被迫害者的超人,是不是得先刷牙?蜘蛛侠在织网抓坏蛋前,是不是得先铺床?当然不是。

那么,为什么,我,唯一的静电超人,每天都要先做完这些毫无意义的事情,才能去上学呢?

纠正一下:只剩最后两个任务了——遛狗,以及充电!

没错,当新的一天开始,我会首先给自己充足电。作为超级英雄,我得时刻准备应对突发事件。谁都不知道下一秒会发生什么。比如说,我有可能会遭遇大乔一伙,或是安吉利库和她那条讨厌的大丹犬道妮尔。

我飞快地穿上外婆为我织的羊毛拖鞋,然后以我妈妈最看不惯的方式行走。

秋季天气凉爽,这正合我意,我要在超人服外面加上一件毛衣。可是由于领口太紧,我的头很难钻出来。我只好用力把毛衣往下扯。糟糕,我的头被领口卡住了!最近我是不是自我膨胀了?不应该啊,尽管我确实有过许多非凡的经历,但在为人处世方面,我一直都很谦逊啊……

门铃响了。也许是佩内洛普来了。我们约好了一起去上学,好在路上讨论我们在科学展上的实验。

让别人在外面久等是一件很不礼貌的事。

唉,没办法……

如果我可以像超人那样双眼放出 X 射线就好了,这样就不会被毛衣遮住视野。当门铃第三次响起时,我终于把门打开了。我的狗急忙冲了出去。门外响起一阵笑声,那是佩内洛普和她弟弟弗雷德的笑声。

佩内洛普和弗雷德一起帮忙，我的头才渐渐从衣领中露出来。

"毛衣事件"意外地增强了我的电量。我身上储备的静电越来越多,跟一块可充电电池没什么两样!看来,我又多了一种唾手可得的"可再生"能源。这么说的话,我的潜力还真不小!

第 2 章

学校体育馆被征用为本地科学展的举办场所,里面搭建了 20 多个展台。佩内洛普和我打算展示"柠檬发电"实验——用两个柠檬制造电流,并点亮一个 15 瓦的灯泡。你们不相信?我以静电超人的身份向你们保证,这行得通!

为了赶走大乔,我用食指对准他,做出发射的姿势。

这个大块头的胆小鬼,竟然吓得躲到了对面的展台底下。那是校园小天才范·德·格拉夫的展台。范·德·格拉夫聪明绝顶,但性格内向。我们对他了解不多,只知道他沉迷于科学,没有朋友。

他的计划是制造一台静电发生器。我不太明白其中的运行原理,只知道它可以制造静电。制造静电让头发竖起来,可不是一件简单的事!

尽管大部分实验是团队作业,但范·德·格拉夫更愿意独自完成。我的两个死对头——大乔和安吉利库,再次结成一组,准备做"火山实验",再现火山爆发的情景。

科学展大比拼即将开始,我们这些初出茅庐的科学家一个个都摩拳擦掌。我的班主任帕提斯老师是评审团成员之一,他正和其他评委一起,到各个展台前逐一查看,提问。他们不时地点点头,摸摸下巴,在记录本上写些什么,表示他们对我们的实验很感兴趣。当评审团来到大乔他们的展台时,大乔就自动退位,让他的合作伙伴安吉利库向评审团进行陈述。

大乔和安吉利库没戏了,他们的获胜概率几乎为零。不过,他们倒是有了扮演巫师的经验。

第 3 章

被浇了一身汽水的评审团成员继续观展。范·德·格拉夫紧张地擦了擦眼镜,开始介绍他的实验。

很快，一道亮光点亮了第一个球体，又向第二个球体冲去，接着第二道亮光出现……

评委们目瞪口呆。毫无疑问,范·德·格拉夫绝对是本次科学展的冠军。他完全是实至名归,由他代表我们学校去参加全省总决赛最合适不过。我由衷地为他感到高兴。

静电秀还在进行,但光越来越强,还发出雷鸣般的响声。然后,毫无征兆地,机器开始超速运行,同时剧烈振动。

静电球开始转动,转速越来越快,最后在空中画出一道弧线,从聚集在体育馆内的学生头上擦过。

这声警告对佩内洛普而言来得晚了点儿。她在后退时撞上了一把金属梯子,形势十分紧迫!我必须立刻采取行动!我顾不上自己的耳朵和鼻子,用力脱下毛衣。哎哟!

几秒钟后,一切重归平静。电脑又可以正常启动了。这位校园天才现在一头雾水,不明白刚刚到底是怎么了。

安吉利库走到范·德·格拉夫身边,对他悄声耳语了几句。这一幕让我十分意外——安吉利库以前从不搭理范·德·格拉夫。她是出于同情才这样做的吗?不可能!除非是灯泡长了牙齿、一周有四个星期四!

不知为什么，原本垂头丧气的范·德·格拉夫，突然怒发冲冠。他直直地朝我走来，手指在我胸口戳了好几下。

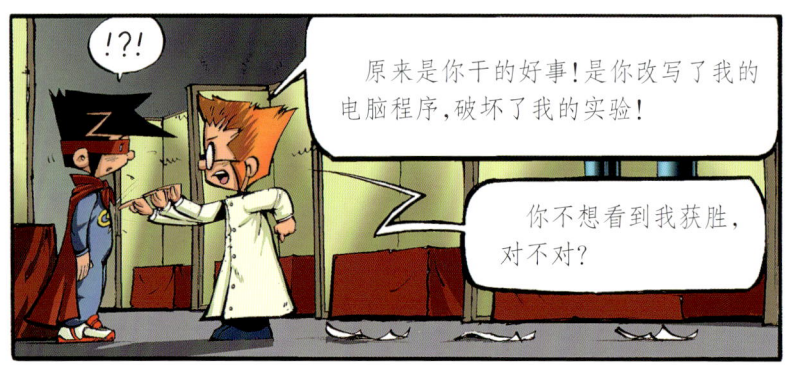

第 4 章

　　这个状况百出的上午过后,科学展的评审团决定稍事休息,等到周末公众场开放时再继续。

　　而我倒是颇有收获:电视台派了一组人来拍摄科学展的现场,他们对我个人非常感兴趣。你问我是不是很意外?对,我确实感到意外——他们怎么现在才来!有那么一会儿,大概两秒半吧,我差点儿就要拒绝瓦伦斯女士的采访要求了。她想邀请我参加她主持的电视节目《来者不一般》。我觉得这个节目的名字很"一般",说不定我的加入能让节目负责人想到像"来电不一般"之类更炫酷的名字!

上场时间到，我被领上演播台。这是一场直播节目，瓦伦斯女士盛情邀请我入座。毫无疑问，我的出场激起了观众们的热烈掌声，我也热情地向观众们挥手致意。

哦，我误会了，原来观众们是在现场导演的指挥下才鼓掌的。

我只好假装是在观众席中看见了某个熟人。实际上，聚光灯的强光照得我什么都看不清，我只是猜到佩内洛普和弗雷德正在观众席里。不过，我确实听到了一阵粗野的笑声。

那是大乔的笑声！尽管节目名字叫作《来者不一般》，但某些现场观众真的很一般。

果然，我看见了大乔和他的三个跟班，还有一身"弗丽斯小姐"打扮的安吉利库。他们都端坐在台下。

她为什么要穿成这样？难道她还想受邀登台，与我这个广受欢迎的静电超人平起平坐？她做梦吧！

访谈正式开始。在瓦伦斯女士的左侧，有一个电视监控器，我可以看到自己在电视机上的样子。真帅气！我恨不得问自己要个签名！

我开始讲述关于地毯、拖鞋、静电储存之类的事,总之,你们都已经很熟悉了,但是大人们总需要非常详细的解释。

趁我充电的时候,瓦伦斯女士从观众中挑选了一名志愿者。一个男孩向我走来——我顿时怔住了!

　　我简直不敢相信，眼前这个男孩就是范·德·格拉夫！原本那个内敛、积极、热爱科学的他，现在变得怨气满满，咄咄逼人，几乎与大乔和安吉利库如出一辙！范·德·格拉夫是不是被他们洗脑了？又或是吃了他们"反静电"的那一套？显然，他依然把他在科学展上的挫败归咎于我。

范·德·格拉夫不等我回答便后退几步，拉开决斗的架势。如果再配上一段手风琴音乐和一团尘土，当时的场景就和美国西部片差不多了。

什么都没有发生……

完全没有！

锡安大师的手枪是不是卡壳了？坏掉了？不知范·德·格拉夫有没有留购物小票。

不！这不可能！英雄的静电超人还没有发出他的最后一击！我疯狂地在地毯上摩擦双脚，决心扭转局面。

第 5 章

离开演播厅以后,我一语不发。佩内洛普和弗雷德试着为我鼓劲,可是没用。我感觉被掏空、被打败……

他究竟是怎样做到的?我一无所知。这才是最令我难过的。静电超人居然被一把玩具枪制服,而且是在电视节目直播现场!作为超级英雄,我的尊严遭受了沉重打击!

在丛林里,土狼常常在夜间猎食,因为那是猎物最脆弱的时候。因此,大乔一伙和安吉利库选择在这时与我"狭路相逢",也就不足为奇了。

但令我意外的是,锡安大师居然也出现在暗处。他们很快就把我们包围了起来。

　　锡安大师笑了。要不是因为他手里有离子风枪,我敢保证我们能成为好朋友。可是,他很快就满脸凶相,并按下离子风枪上的按钮。一个尖锐的声音响起,枪正在充电。

大乔一伙就等着锡安大师彻底消除我的静电,然后给我来一顿胖揍,为之前的遭遇报仇雪恨。

第 6 章

范·德·格拉夫被搞糊涂了。我也一样。安吉利库居然在锡安大师要击败我的时候站出来保护我?

她才不会这样呢!只见她朝离子风枪伸出手去。

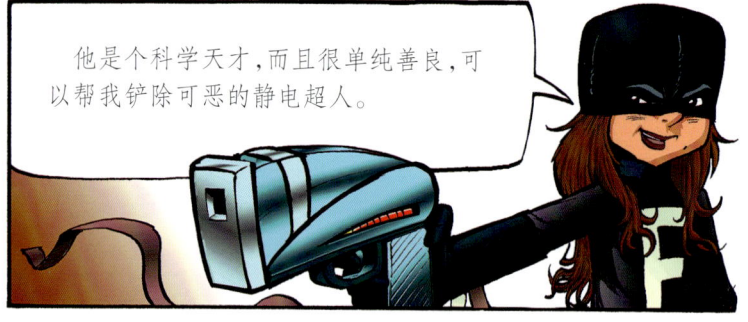

范·德·格拉夫非但没有让开，反而扑向安吉利库，要去夺下她手中的武器。两人展开一场恶战，范·德·格拉夫连眼镜都弄丢了。大乔冲过去给安吉利库帮忙，佩内洛普和弗雷德一起为范·德·格拉夫助力。

趁此机会,我脱下毛衣,制造静电。更确切地说,是我"试着"脱下毛衣。我的大头再次卡在衣领里。哎哟,我的耳朵!哎哟,我的鼻子!

安吉利库被打了个正着,身上的飘带根根直立,手里的离子风枪也飞了出去。谁让她多废话了几个字,让我抢先开了火呢。不知道我的电量还够不够对付大乔一伙?我向他们伸出食指。

范·德·格拉夫从地上捡起他的眼镜和枪,枪正对准我的方向。

佩内洛普和弗雷德立刻挡在我的前方,像一堵保护墙。

第 7 章

没有爆炸声,也没有哀嚎声。锡安大师面带奇怪的表情,看着我。

今天，在科学展的公众场，评审团继续为各个展台评分。与上一场不同的是……

首先，大乔和安吉利库缺席了。也许是因为他们的"消除静电"计划失败，无脸见人吧！不过，谁又会因为看不到他们的"火山实验"而感到可惜呢?至少评审团是绝对不会的。

评审团来到我们的展台前，对我们的实验成功表示祝贺。

用两个柠檬点亮灯泡，这可不是一件容易的事。我们为此用掉了不少柠檬！

评审团随后来到范·德·格拉夫的静电发生器前。可是，他的机器怎么也发动不起来。

理论固然好，但要真正搞懂一件事情，最好的办法还是实际操作。

展台边的观众越来越多。

我在人群中发现了罗埃尔夫人,她怀里还抱着她的宠物猫牛顿三世。

牛顿三世特别喜欢我,一看到我,就挣脱主人的怀抱,跳到了静电球上,想要扑向我。

罗埃尔夫人想把它抱下来……

这一次她可不能怪我,至少不能完全怪我。

大家都哈哈大笑起来。

范·德·格拉夫也如遭到电击,重新复活一般,开始激动地向观众和评审团解释静电球的原理。

看到这样令人折服的展示,评委们忍不住鼓起掌来。

范·德·格拉夫朝我点点头,以示感谢。我也衷心为他感到高兴。

佩雷洛普和我也许没有赢得比赛,但却赢得了一个朋友。

对于静电超人而言，多一个盟友总是好的。至少这次不是多一个敌人了！